les albums
duculot

Conforme à la loi n° 49.956 du 16 juillet 1949
sur les publications destinées à la jeunesse.

Paru aux États-Unis sous le titre :
When the new baby comes,
I'm moving out,
Dial Press, 1979.

D. 1981.0035.26
D.L. : 1er trimestre 1981
ISBN 2-8011-0349-7
(Édition originale :
ISBN 0-8037-9557-2 The Dial Press, New York)

Imprimé en Italie

Quand le nouveau bébé arrive, moi, je m'en vais

Martha Alexander

Texte français de Dominique Mols.

Duculot

– Tu repeins ma chaise haute ? Pourquoi ?

– C’est pour le nouveau bébé.

– Le nouveau bébé ! Mais c'est ma chaise à *moi* ! Et mon petit lit, tu vas le repeindre aussi ?

Et toutes mes affaires !
Mais tu ne m'as même pas demandé
la permission !

J'ai besoin de tout ça, moi ! Ça, ça allait être une base de lancement pour mon vaisseau spatial.

Et ça, c'est ma cage à animaux féroces.
Tu ne peux pas me prendre ma cage !

Qu'est-ce que tu dirais si je te prenais ton lit – ou bien ton fauteuil à bascule ?

– Je suis désolée, Olivier. Je ne pensais pas que tu tenais à ces vieilles affaires de bébé.

– J'y tiens beaucoup. Vraiment beaucoup.
J'en ai besoin. Elles sont à moi.

Regarde ! Tu n'as même plus de genoux !
Ce bébé prend toute la place,
et il n'est même pas encore né !

Je ne t’aime plus.

Je vais te jeter dans la poubelle.

Et je mettrai le couvercle.

Et je taperai dessus avec un bâton.

Et je ne te donnerai rien à manger.

J'irai te jeter au dépotoir.
Et je verserai des cendres sur toi.

Et puis je vous laisserai là, tous les deux.
Et vous le regretterez !

– Tu nous abandonnerais au dépotoir ?
Quelle horreur !

– Ou bien, si tu préfères, tu pourras rester ici.
Mais alors moi je m'en vais.

J’irai vivre dans ma maison, dans l’arbre.

Ou peut-être que j'irai camper dans les bois, avec ma tente.

– Mais moi, j'aimerais mieux que tu ne t'en ailles pas. Je serai tellement triste, toute seule, sans toi.

– C'est vrai ? Tu seras triste ?

– Plus que triste. Je serai terriblement malhcureuse si tu pars.

Qui collera mes timbres quand j'écrirai
des lettres ? Qui jouera à cache-cache avec moi ?

– Je crois que ce ne sera pas tellement amusant pour toi non plus, d'avoir ce bébé.
Au fond, je fais mieux de rester avec toi.

– Tu sais, Olivier, quand on est un grand frère, on fait des tas de choses très spéciales.

– C’est vrai ?

– Tu parles !

SOAP
OPERA

THE LATE SHOW

– Dépêche-toi, bébé. j'ai des tas d'idées !
Je suis impatient de devenir un grand frère !